1 ▶ Escriba el nombre de seis objetos de los que aparecen en la fotografía.

2 ▶ Escriba el nombre de objetos que podemos encontrar en un salón.

3 ▸ Escriba el nombre de seis objetos de los que aparecen en la fotografía.

______________________ ______________________ ______________________

______________________ ______________________ ______________________

4 ▸ Escriba el nombre de objetos que podemos encontrar en una cocina.

______________________ ______________________ ______________________

______________________ ______________________ ______________________

______________________ ______________________ ______________________

DENOMINACIÓN

5 ▶ Escriba el nombre de los objetos que figuran en esta página e indique para qué sirve cada uno de ellos.

____________________ Sirve para ____

____________________ Sirve para ____

____________________ Sirve para ____

____________________ Sirve para ____

____________________ Sirve para ____

____________________ Sirve para ____

____________________ Sirve para ____

____________________ Sirve para ____

____________________ Sirve para ____

6 ▶ Adivine la palabra y escríbala:

DESCRIPCIÓN	PALABRA
Profesión de la persona que repara los grifos	F _ _ _ _ _ _ _ _
Fruta que se utiliza para la elaboración de la Sidra	M _ _ _ _ _ A
Vehículo de dos ruedas impulsado por pedales	B _ _ _ C _ _ _ A
Conjunto de siete días consecutivos	S _ _ _ _ A
Establecimiento donde se venden medicinas	F _ R _ _ C _ _
Árbol cuyos frutos son los dátiles	_ _ L _ _ _ A
Animal mamífero de cuello largo que habita en la selva	J _ R _ _ _
Joya que se lleva en la muñeca	PUL _ _ _ _
Lugar donde despegan y aterrizan los aviones	A _ _ _ P _ _ _ T _
Alimento elaborado con harina y que se cuece en el horno	_ _ N
Insecto que vive en colmenas y fabrica la miel	A _ _ _ _

7 ▶ Adivine la palabra siguiendo las pistas y escríbala:

DESCRIPCIÓN	PALABRA
Calzada, asfalto, acera	C _ _ _ E
Césped, banco, plantas, columpios	P _ _ Q _ E
Cama, armario, mesilla, tocador	D O _ _ _ T _ _ _ O
Arena, orilla, toalla, cubo, sombrilla	P _ _ _ _
Vendedor, puesto, frutas, clientes, carrito de la compra	M _ _ C _ _ O
Médico, enfermera, quirófano, camilla, habitación	H _ _ P _ _ _ _
Barco, muelle, agua, grúa, amarre	P _ _ _ _ O
Pupitre, alumno, profesor, lápiz, cuaderno	C _ _ E _ _ _

8 ▶ Escriba el nombre de las cosas que habitualmente podemos comprar en:

SUPERMERCADO	KIOSCO	FARMACIA	FERRETERÍA

9 ▶ Escriba nombres de:

DEPORTES	FRUTAS	PROFESIONES	CIUDADES

10 ▶ Escriba nombres de:

ANIMALES	COMIDAS	FLORES	ÁRBOLES

11 ▶ Escriba nombres de Persona:

NOMBRES DE HOMBRE	NOMBRES DE MUJER

12 ▸ Escriba nombres de hombre que empiecen por las distintas letras:
Ejemplo: Con la letra A : Antonio. Con la letra B: Bartolomé... etc.

A	B	F	J	L

M	P	R	S	V

13 ▸ Escriba nombres de mujer que empiecen por las distintas letras:
Ejemplo: Con la letra A : Ana. Con la letra C: Carmen... etc.

A	C	D	I	J

M	P	R	T	V

14 ▶ Sitúe cada uno de estos nombres en su cuadro correspondiente:

Perro - cerdo - jirafa - búho - ardilla - gallina - caballo - elefante - ciervo - león - gato - lobo - canario - jabalí - cebra - gorila - vaca - periquito - oveja - hámster

ANIMALES DEL BOSQUE	ANIMALES SALVAJES

ANIMALES DE GRANJA	ANIMALES DOMÉSTICOS

15 ▶ Sitúe cada uno de estos nombres en su cuadro correspondiente:

España, México, Egipto, Guatemala, Francia, Malasia, Estados Unidos, Marruecos, Siria, Argentina, Alemania, Ruanda, Turquía, Japón, China, Angola, Ecuador, Suiza, Inglaterra, Etiopía.

PAÍSES DE EUROPA	PAÍSES DE AMÉRICA

PAÍSES DE ÁFRICA	PAÍSES DE ASIA

16 ▸ Señale el significado correcto de las siguientes frases:

DESCRIPCIÓN	PALABRA
• Estaba como unas castañuelas	a) Temblaba mucho b) Estaba muy feliz c) Hacía ruidos
• Se subía por las paredes	a) Trepaba por las paredes b) Escalaba montañas c) Estaba muy enfadado
• Pescó un resfriado	a) No pescó nada b) Se resfrió c) Pescó un pez
• Bajarse del burro	a) Admitir que no se tiene razón b) Salir de algún vehículo c) Ser muy tozudo
• Tirar la casa por la ventana	a) Tirar los muebles a la calle b) Abrir todas las ventanas de la casa c) Gastar mucho dinero
• Tener muchos humos	a) Hacer varias hogueras b) Ser muy vanidoso c) Fumar mucho

17 ▸ Unir con una flecha cada palabra con otra que signifique lo mismo.

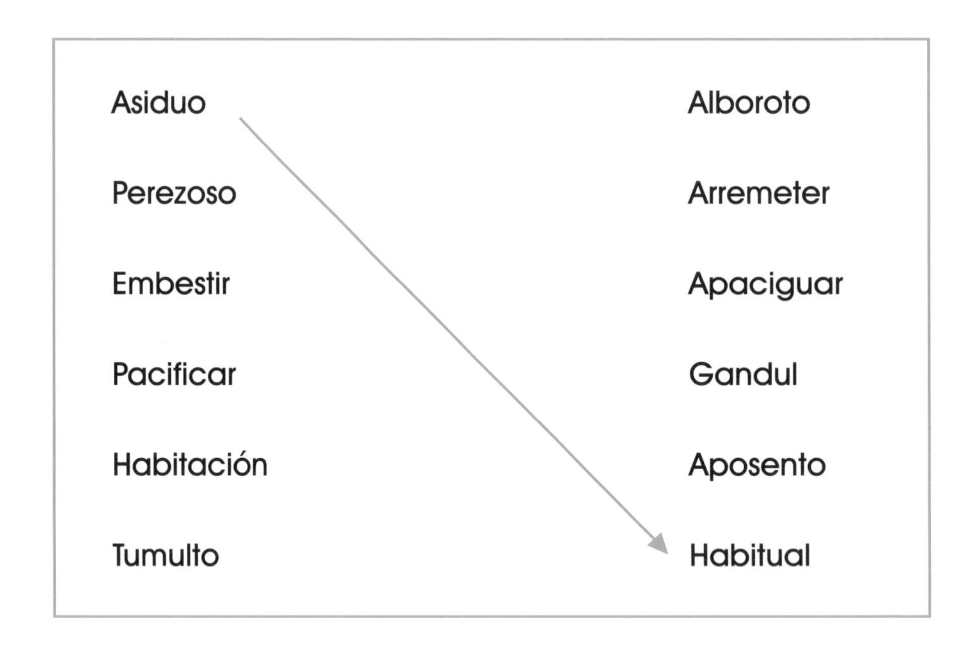

18 ▶ **Unir con una flecha cada palabra con otra que signifique lo contrario.**

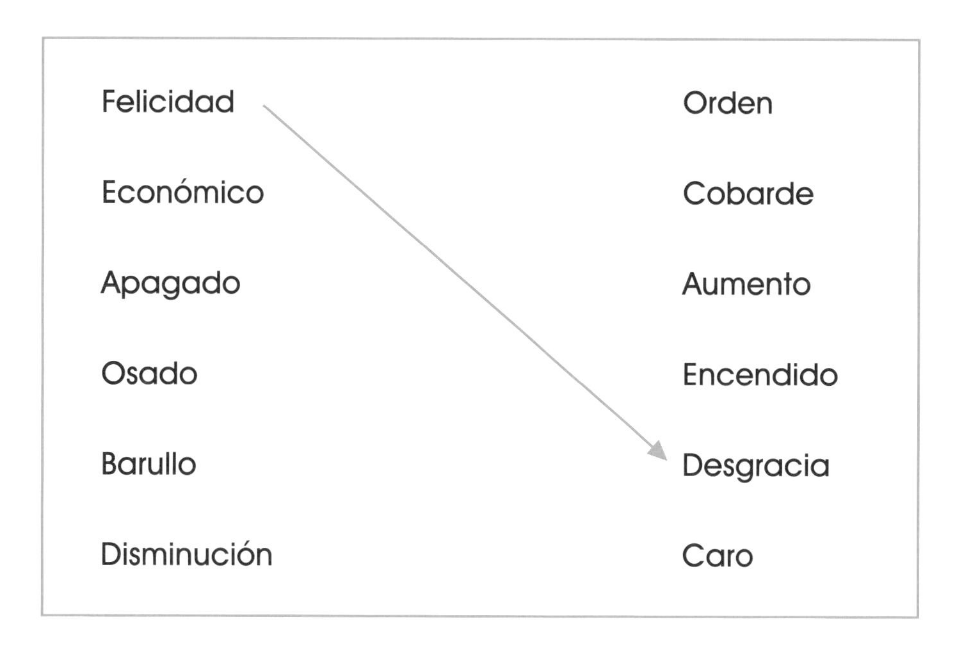

19 ▶ **Siguiendo el ejemplo, ordene las siguientes expresiones para formar una oración correcta.**

amiga estudia Lola medicina Mi	Mi amiga Lola estudia medicina
mañana de Pedro saldrá vacaciones	
tejado gato camina El por el	
que Dile Antonio a venga	
casa muy desordenada La está	
zarpó El madrugada de barco	
invierno Este siendo está frío muy	
sabe cuatro multiplicar por María	
bicicleta regalado han Me una	
es cumpleaños mi Mañana	
ejercicio Este fácil es demasiado	

20 ▶ Lea atentamente el siguiente texto y complételo con las palabras que figuran en el recuadro.

decidió - paraguas - llover - tele - frío - estaba - ladrar - casa - juguetón - tiempo - Juan - hace - mojarse

Un domingo por la tarde, Juan ______ salir a dar un paseo con su perro. Se puso la chaqueta de cuero porque hacía ______ y no quería coger un resfriado. Aunque el cielo ______ despejado, decidió coger el ______ porque había visto en la televisión la previsión del ______ y dijeron que tal vez llovería.

Boby, el perro de ______, es un cachorro muy inquieto y ______. Nada más salir de casa empezó a ______ y a tirar de la correa. Estaba impaciente por llegar al parque que hay detrás de la ______ de Juan, donde suelen ir a jugar por las tardes cuando ______ buen tiempo.

Nada más llegar al parque, comenzó a ______ de repente, y Juan decidió interrumpir el paseo y volver a casa para no ______ los pies. Mientras regresaba, pensó que el "hombre del tiempo" de la ______ no se había equivocado.

21 ▶ Utilizando el texto anterior conteste a las siguientes preguntas:

- ¿Qué día de la semana era?
- ¿Hacía frío o calor?
- ¿Había nubes en el cielo cuando Juan decidió salir de casa?
- ¿Qué tiempo dijeron en la televisión que haría?
- ¿Cómo se llama el perro de Juan?
- ¿Es un perro adulto?
- ¿Dónde está el parque?
- ¿Por qué decidió Juan volver a casa?

22 ▶ Vamos a elegir un título para el texto anterior. Rodee con un círculo el que considere más adecuado.

- "Una mañana en el parque"
- "Juan y Boby salen de paseo"
- "Un domingo de invierno"

23 ▶ Por favor, lea estas frases dos o tres veces. A continuación cierre los ojos y repítalas en voz alta (cada una por separado)

- Me gusta escuchar música clásica.
- Ha caducado mi carnet de conducir.
- Hoy he puesto unas monedas en la hucha.
- La oficina de correos queda lejos de mi casa.
- Hay que acudir al dentista al menos una vez al año.
- El director de la sucursal del banco es muy amable.
- El domingo veré en la televisión el partido de fútbol.
- Hemos alquilado un apartamento en la playa para este verano.
- El próximo mes de Mayo se celebrarán las elecciones municipales.
- He de acordarme de comprar una tarta para celebrar mi cumpleaños.
- Mis nietos me trajeron un recuerdo de su viaje de vacaciones a Irlanda.
- El día de Navidad vienen todos mis hijos a comer a casa y repartimos los regalos.

24 ▶ Lea estas palabras dos o tres veces. A continuación cierre los ojos y repítalas en voz alta (cada una por separado).

- Colibrí
- Soldador
- Incluir
- Portada
- Robusta
- Dudoso
- Solvente
- Suscrito
- Meloso
- Conciso
- Afición
- Ámbito
- Súbito
- Fantástico
- Episcopal
- Incógnito
- Olímpico
- Selectivo
- Perjuicio
- Período
- Ayuntamiento
- Compatibilidad
- Superviviente
- Impermeable
- Especulativo
- Funcionario
- Ciudadanía
- Desempeño
- Provisional
- Divulgación

25 ▶ Por favor, repita estas palabras en voz alta (cada una por separado):

- LACA
- CALA
- BALA
- LAVA
- LOBO
- BOLO
- LORO
- CORO
- TAPA
- PATA
- PALA
- LAPA

26 ▶ Escriba una frase utilizando estos conjuntos de dos palabras:

Ejemplo: campo, domingo: El domingo saldremos al campo.

- coche, rueda ______________________________
- viaje, autobús ______________________________
- perro, hueso ______________________________
- jugador, portería ______________________________
- lotería, premio ______________________________
- nubes, lluvia ______________________________
- novela, espía ______________________________
- vestido, nuevo ______________________________

27 ▶ Escriba una frase utilizando estos conjuntos de tres palabras:

Ejemplo: tarde, cine, nieto: Acompañaré a mi nieto al cine esta tarde.

- pensión, banco, cuenta ______________________________
- puerto, barco, pescado ______________________________
- parque, banco, sol ______________________________
- niño, pelota, calle ______________________________
- Navidad, fiesta, diciembre ______________________________
- campo, paseo, andar ______________________________
- carrera, meta, primero ______________________________
- leche, desayuno, galletas ______________________________

28 ▶ Complete las siguientes palabras con la letra que falta

CANGR__JO	ALQ__ILER	__ORTEO	__MPORTA__TE
T__NEDOR	AMIG__	LIMPI__	MAGNÍFI____
PELO__A	BI__TURÍ	S__NIDO	I__CÓGN__TO
R__DILLO	SO__RISA	__URBUJA	AB__URD__
CO__IDA	MELOS__	LONE__A	__BURRID__
DOMING__	B__JITO	PESA__O	SOLIT__RIO
BOT__LLA	PEL__DO	S__MPÁT__CO	E__TRETEN__DO

29 ▶ **Copie a continuación este fragmento de un poema en la casilla de la derecha.**

Mama, dame un duro... que hoy es la feria, han venido chismes a la plaza vieja, uno el tio-vivo, y la corregüela, i unos carricoches llenitos de estrellas! Si quieres me pongo la camisa nueva, me limpio la cara, y hasta las orejas... Mama, dame un duro, i que hoy es la feria...!	

30 ▶ **Escriba un fragmento de un poema, cuento o canción que usted conozca.**

31 ▶ **A continuación explique con sus propias palabras y anote cómo va usted vestido hoy.**

32 ▸ A continuación explique con sus propias palabras y anote lo que ve usted si mira a su alrededor.

____

____

____

____

____

____

33 ▸ A continuación explique con sus propias palabras esta escena.

____

____

____

____

____

____

34 ▶ Complete las siguientes frases siguiendo la misma relación.

Ejemplo: Bisturí es a cirujano como bolígrafo es a escritor

- Limón es a limonero como pera es a ______________________
- Sierra es a carpintero como pincel es a ______________________
- Maquinista es a tren como piloto es a ______________________
- Padre es a hijo como tío es a ______________________
- Pescado es a mar como pájaro es a ______________________
- Coche es a carretera como tren es a ______________________
- Jaula es a pájaro como pecera es a ______________________
- Guante es a mano como calcetín es a ______________________

35 ▶ Complete las siguientes frases siguiendo la misma relación.

Ejemplo: Rojo, azul y amarillo son colores. Martes, miércoles y jueves son días de la semana.

- La manzana, la pera y la naranja son ______________________
- El zapatero, el mecánico y el pintor son ______________________
- Madrid, Valencia y Barcelona son ______________________
- España, Francia e Inglaterra son ______________________
- El elefante, la cebra y la jirafa son ______________________
- El Prado, el Louvre y el Guggenheim son ______________________
- El cocido, la fabada y la paella son ______________________
- El húmero, el fémur y el cúbito son ______________________

36 ▶ Complete las siguientes frases siguiendo la misma relación.

- El blanco y el negro son ______________________
- La lluvia y la nieve son ______________________
- El futbol y el baloncesto son ______________________
- El atún y la merluza son ______________________
- El gallo y el pato son ______________________
- La esmeralda y el rubí son ______________________
- El gas y la gasolina son ______________________
- La televisión y la radio son ______________________
- Cervantes y Quevedo son ______________________

37 ▶ Rodee con un círculo las palabras que expliquen cómo puede ser:

• **Un árbol puede ser:** simpático – frondoso – alto – divertido – verde – locuaz – rígido – flaco – hablador – seco

• **Un animal puede ser:** ágil – extrovertido – duro – delgado – flexible – feroz – gracioso – lento – dulce – frío – fuerte

• **Una persona puede ser:** rígida – agradable – sincera – amarga – rica – dulce – plana – amplia – guapa – limpia

• **Un automóvil puede ser:** rápido – elegante – risueño – indestructible – aullador – pendenciero – cómodo – chistoso

• **Un mueble puede ser:** bello – monótono – ingenioso – práctico – duradero – útil – robusto – incansable – ruidoso

38 ▶ Rodee con un círculo las palabras que expliquen cómo No puede ser:

• **Un río NO puede ser:** largo – caudaloso – serpenteante – cristalino – orgulloso – valiente – sinuoso

• **Una persona NO puede ser:** lista – amable – impermeable – bondadosa – simpática – ingeniosa – caprichosa

• **Una montaña NO puede ser:** escarpada – inaccesible – diligente – alta – eficiente – nevada – majestuosa

• **Un animal NO puede ser:** fiel – pequeño – caritativo – fiero – agresivo – cariñoso – veloz – opulento – lento

• **Un libro NO puede ser:** ameno – entretenido – grueso – infatigable – nuevo – usado – rencoroso – inteligente

39 ▸ **Sustituir el verbo por un adjetivo tal y como se señala en el ejemplo.**
Ejemplo: Estos chicos siempre estudian mucho .... Estos chicos son muy estudiosos

En el verano suele hacer mucho calor .... El verano suele ser ____________________

Los ancianos caminan más despacio........ Los ancianos son más ________________

Mi cuñado es muy hábil.............................. Mi cuñado es muy ____________________

Los vecinos hacen mucho ruido................. Los vecinos son muy __________________

40 ▸ **Completar siguiendo el modelo.** Ejemplo: Dar un grito es ... gritar

- Dar un salto es ... ____________________
- Hacer una súplica es ... ____________________
- Sentir amor es ... ____________________
- Dar un golpe es ... ____________________
- Decir el nombre de alguien es ... ____________________
- Dar un abrazo es ... ____________________
- Caer agua del cielo es ... ____________________
- Ingerir comida es ... ____________________
- Percibir un olor es ... ____________________

41 ▸ **Completar con el adjetivo que indica lo contrario.**
Ejemplo: Si algo es viejo es porque no es ... nuevo

- Si alguien es joven es porque no es ... ____________________
- Si alguien está triste es porque no está ... ____________________
- Si algo está desordenado es porque no está ... ____________________
- Si algo es bonito es porque no es ... ____________________
- Si algo es práctico es porque no es ... ____________________
- Si alguien es vago es porque no es ... ____________________
- Si alguien es simpático es porque no es ... ____________________
- Si alguien es lento es porque no es ... ____________________
- Si alguien es rico es porque no es ... ____________________

42 ▶ Completar con el adjetivo que indica lo contrario.
Ejemplo: Si algo NO está cerca es porque está ... lejos

- Si alguien no está enfermo es porque está ... ______________
- Si algo no está limpio es porque está ... ______________
- Si alguien no es alto es porque es ... ______________
- Si alguien no está delgado es porque está ... ______________
- Si algo no es bonito es porque es ... ______________
- Si alguien no es rubio es porque es ... ______________
- Si algo no es corto es porque es ... ______________
- Si alguien no está despierto es porque está ... ______________
- Si algo no está averiado es porque está ... ______________
- Si alguien no es tonto es porque es ... ______________

43 ▶ Escribir la palabra que corresponda a la definición:
Ejemplo: Mueble del dormitorio para guardar la ropa... Armario

- Utensilio para trasladar el equipaje en los viajes ... ______________
- Lugar donde despegan y aterrizan aviones ... ______________
- Aparato para hablar con alguien a distancia ... ______________
- Lugar donde se compran y venden productos ... ______________
- Utensilio que se utiliza para escribir o dibujar ... ______________
- Mamífero que vive en los polos ... ______________
- Primer día de la semana ... ______________
- Profesional que repara los automóviles ... ______________
- Aparato que mide el paso del tiempo ... ______________
- Parte del cuerpo que une el tórax y la cabeza ... ______________

44 ▶ Complete las siguientes frases:

- Mi hermano Antonio se ha jubilado, ya ha ________________ sesenta y cinco años.
- Me gusta leer la prensa, _______ el periódico todos los días.
- Hoy hace un poco de frío, así que sacaré el ______________ del armario.
- El delantero marcó un gol cuando quedaban unos ____________ para acabar el partido.
- Juan tiene un puesto en el mercado, ______________ una fruta estupenda.
- Mi hija ha aprobado el __________________ de matemáticas.
- No me gusta viajar en barco, el ________________ me produce mareos.
- Miguel tiene suerte __________ al dominó, siempre coloca todas las fichas.
- El domingo ________________ a visitar a mi nieto a su casa.
- Hoy comienza un ____________________ nuevo en la televisión.
- El perro de mi vecino escarba la _________________ del jardín.
- Federico es fontanero y su ___________________ Miguel es carpintero.
- El primer día de la semana es el ______________ y el último es el domingo.
- El ________________ de mi tía es mi primo.
- La guía nos acompañó durante la _________________ al museo.
- El ladrón fue sorprendido mientras ____________ en la casa de mi vecino.
- He de ir a la _________________________ a cortarme el cabello.
- En Nochevieja tomamos las uvas al dar las _______________ campanadas.
- Cuando ganó la carrera le entregaron la ___________________ de oro.
- El mecánico _____________________ la avería de mi coche.
- ________________ el pescado en el puesto del mercado.
- Le pedirá mi hijo que me ______________________ en mi visita al oculista.
- Durante la excursión al zoo vimos muchos ___________________ salvajes.

45 ▶ Escriba cómo se denomina:

- Un conjunto de músicos: ______________________
- Un conjunto de ovejas: ______________________
- Doce huevos: ______________________
- Una manada de cerdos: ______________________
- Treinta días consecutivos: ______________________
- Un conjunto de cantantes: ______________________
- Un conjunto de libros: ______________________
- Un conjunto de árboles: ______________________
- Un conjunto de diez objetos: ______________________
- Sesenta minutos: ______________________
- Un conjunto de cucharas, tenedores y cuchillos: ______________

46 ▶ Encuentre y rodee con un círculo en esta sopa de letras las respuestas de al menos seis de las definiciones del ejercicio anterior.

O	R	Q	U	E	S	T	A
R	T	U	Q	O	R	O	C
M	E	S	A	Ñ	D	L	F
I	B	B	H	O	R	A	X
K	P	I	A	R	A	W	J
X	N	P	F	Ñ	G	C	M
T	A	N	E	C	O	D	V
B	O	S	Q	U	E	H	S